Calon Tad-cu

Diana Hendry

Lluniau Kirstin Holbrow
Addasiad Llinos Dafydd

Gomer

I Paul, gyda chariad – Kirsti

Cyhoeddwyd gyntaf yn 2006 gan
Barrington Stoke Ltd, 18 Walker Street,
Edinburgh EH3 7LP dan y teitl *Catch a Gran*
www.barringtonstoke.co.uk

Cyhoeddwyd yn Gymraeg yn 2009 gan
Wasg Gomer, Llandysul, Ceredigion, SA44 4JL
www.gomer.co.uk

ISBN 978 1 84323 989 5

Noddwyd gan Lywodraeth Cynulliad Cymru.

Argraffwyd a rhwymwyd yng Nghymru gan
Wasg Gomer, Llandysul, Ceredigion.

Cynnwys

TE
BISGEDI
COFFI
Rhestr
siopa
siwgr
mêl

Pennod 1

Esgidiau Glaw a Ted Hanner Dall

'Dyna beth fydd gwyliau!' ochneidiais pan ddywedodd Mam wrtha i. Wrth gwrs, roeddwn i'n flin iawn o glywed bod Modryb Jean, chwaer Mam, yn sâl a bod yn rhaid i Mam fynd i ofalu amdani. Ond roeddwn i hyd yn oed yn fwy blin bod yn rhaid i fi fynd i aros gyda Tad-cu.

'Mae'n haf,' dywedais, 'rydych chi'n fy anfon i i ganol 'nunlle.' *Canol 'nunlle* oedd disgrifiad Mam a Dad o'r lle roedd Tad-cu yn byw.

‘Anghofia canol ’nunlle,’ meddai Dad. ‘Mae’r man lle mae Tad-cu yn byw yn dwll o le.’ Yna fe wnaeth Dad chwerthin a dweud, ‘Jôc! Jôc!’ achos roedd e wedi gweld yr olwg ar fy ngwyneb.

‘Ddim yn ddoniol!’ dywedais.

‘Mae Tad-cu’n byw yng nghefn gwlad. Mewn bwthyn,’ meddai Mam.

‘Ac mae e’n hoffi byw ar ei ben ei hun,’ dywedais innau.

‘Dim ond ers i dy fam-gu farw,’ meddai Dad. ‘Efallai y byddi di’n gallu codi ei galon.’

‘Fi fydd angen maldod a chodi calon,’ dywedais. ‘Mae’n rhaid bod Tad-cu yn 200 mlwydd oed o leiaf.’

‘80,’ meddai Dad. ‘Dim ond 80 yw Tad-cu.’

'Dim ond!' dywedais.

'A dim ond am wythnos y byddi di yno, Mali,' meddai Mam. 'Bydd yn ddiddorol iawn i ti. Newid byd o fyw mewn tref.'

Pan mae Mam yn dweud bod rhywbeth yn mynd i fod yn *ddiddorol iawn*, mae pawb yn gwybod ei bod hi'n meddwl y bydd yn ddiflas iawn. Person y dref yw Mam. Siopau. Sinemâu. Caffis. Dyna beth mae Mam yn eu hoffi. A finnau hefyd.

'Cefn gwlad,' dywedais. 'Gwartheg a chaeau mwdlyd a dim byd yn digwydd. Pam na all Dad ofalu amdana i?'

'Mae'n rhaid i fi fynd i'r gwaith,' meddai Dad. 'Dw i ddim yn meddwl bod gwartheg gan Tad-cu. Ond mae'n well i ti fynd â dy esgidiau glaw ar gyfer y caeau mwdlyd.'

'Byddwn i'n gallu mynd i aros gydag Emma,' dywedais. Emma yw fy ffrind gorau.

'Maen nhw'n mynd i ffwrdd ar wyliau,' meddai Mam.

'Modryb Carol, 'te,' dywedais. Chwaer Dad yw Modryb Carol. Mae hi'n hoffi taflu'i phwysau o gwmpas a dydw i ddim yn rhy hoff ohoni, ond roeddwn i'n meddwl y byddai unrhyw beth – unrhyw un – yn well na Tad-cu.

'Mae ganddi hi ymwelwyr,' meddai Mam, 'felly fydd dim lle ganddi i ti. Byddwn ni'n mynd â ti i gwrdd â'r trên ar ôl ysgol fory.'

Wel, roedd hynny'n un peth da. Doeddwn i ddim eisiau colli diwrnod ola'r tymor.

'Rydyn ni wedi trefnu i'r gard ar y trên ofalu amdanat ti,' meddai Mam. 'Bydd Tad-cu'n cwrdd â ti yn yr orsaf, a bydd angen hwn arnat ti,' meddai. Aeth i'r cwpwrdd i nôl yr helmed goch roeddwn i'n ei defnyddio i feicio.

'Pam bod angen hon arna i?' holais.

'I dy arbed di rhag y moch fydd yn syrthio o'r awyr!' meddai Dad. 'Jôc! Jôc!'

'Dyw dy jôcs di ddim yn ddoniol,' dywedais.

'Mae tandem gyda Tad-cu,' meddai Mam.

'Beth yw hwnnw?'

'Beic i ddau berson yw tandem,' meddai Dad. 'Roedd Tad-cu a Mam-gu yn arfer mynd i bob man ar y beic yna. Bydd e'n dod i gyfarfod â ti yn yr orsaf arno fe.'

'Dim car?' holais.

'Dim car,' meddai Mam. 'Ond rwyt ti'n hynod o dda ar dy feic.'

Mae hyn yn wir, hyd yn oed os mai fi sy'n dweud. Tymor diwethaf, fe wnes i basio fy mhrawf beicio. 'Ond mae reidio fy meic i yn hollol wahanol i reidio beic sy'n cario dau – gyda hen ddyn simsan,' dywedais.

'Dw i'n meddwl y cei di syrpreis,' meddai Dad. 'Dw i ddim yn meddwl bod Tad-cu'n simsan o gwbl. Mae'n e'n gryf ac yn heini.'

'A ta beth,' meddai Mam, 'mae e'n gwneud ffafr fawr â ni'n gofalu amdanat ti am yr wythnos. Felly cofia fod yn dda ac yn gymwynasgar.'

'A cheisio mwynhau dy hun!' meddai Dad.

Atebais i ddim. Es i fy ystafell wely. Fe wnes i bacio fy hen ddillad, fy esgidiau glaw a lot o lyfrau a chryno-ddisgiau. Roedd y bag yn drwm iawn. Meddyliais am dandem Tad-cu, a thynnu hanner fy stwff allan o'r bag.

Yna, fe es i'r gwely. Roedd geiriau Mam – *ganol 'nunlle,* a jôc Dad – *twll o le,* yn mynd rownd a rownd yn fy mhen i. Roeddwn i'n meddwl efallai mai cae mwdlyd oedd yn mynd ymlaen ac ymlaen yn ddiddiwedd oedd canol 'nunlle. Ac mai rhywle ym mhen pella'r byd oedd twll o le.

Rhoddais y flanced dros fy mhen wedyn. Roedd Ted Hanner Dall yn aros amdana i. 'Hon fydd wythnos waethaf fy mywyd,' dywedais wrtho. 'Ac rwyt ti'n dod hefyd.'

DIWRNOD I'R TEULU
£24.99
ALLANFA
DÂN
FFASIWN
CARTREFI
MOETHUS
Posau
Poli

Pennod 2

Tad-cu Braidd yn Ddrewllyd

'Meddylia amdano fel antur,' meddai Mam pan aeth hi â fi i'r orsaf drenau.

Roedd bod ar y trên *yn* teimlo fel antur. Dyma'r tro cyntaf i Mam a Dad adael i mi deithio ar fy mhen fy hun. Roedd gen i sedd ar bwys y ffenest. Rhoddodd Mam frechdanau i mi, dau afal, banana, dau far ffrwythau a photel o ddŵr. Rhoddodd Dad lyfr posau newydd i mi.

'Does dim rhaid i ti boeni pryd i fynd oddi ar y trên,' meddai Mam. 'Bydd y gard yn dweud wrthot ti.'

Roedd dynes yn eistedd yn y sedd gyferbyn â fi. 'Fe wna i gadw llygad ar eich merch fach,' meddai hi wrth Mam.

Roeddwn i'n chwifio a chwifio a chwifio fy nwylo pan gychwynnodd y trên. Roedd Mam a Dad yn sefyll ar y platfform, ac wrth i'r trên adael, fe aethon nhw'n llai ac yn llai. Ac yna roeddwn i'n teimlo fel llefain, ond doeddwn i ddim eisiau i'r ddynes oedd yn cadw llygad arna i fy ngweld. Felly fe wnes i snwffian ychydig a chwythu fy nhrwyn. Roeddwn i'n amau bod y ddynes yn gwybod fy mod i'n drist achos fe ofynnodd i mi a oeddwn i eisiau bisged, ac i ble roeddwn i'n mynd.

'Dw i'n mynd i ganol 'nunlle,' dywedais. Fe wnaeth y ddynes chwerthin.

'Oes enw ar y "canol 'nunlle" hyn?' holodd.

'Oes,' dywedais. 'Pontgwili. Dyna lle mae fy nhad-cu yn byw. Dw i'n mynd i aros gyda fe am wythnos.'

'Wel, rwyt ti'n lwcus iawn,' meddai. 'Dw i wedi clywed ei fod e'n le prydferth iawn.'

'Dw i ddim yn teimlo'n lwcus iawn,' dywedais. 'Mae Tad-cu yn hen iawn, iawn a bydda i'n gweld eisiau fy ffrindiau.'

'Efallai y gwnei di gwrdd â rhai newydd,' meddai'r ddynes.

'Fel gwartheg?' dywedais. Chwarddodd y ddynes unwaith eto.

Ar ôl hynny, fe wnes i ddau bos yn fy llyfr newydd, bwyta'r brechdanau i gyd a syrthio i gysgu. Pan ddeffrais i, roedd hi'n tywyllu y tu allan, ac roedd hi'n glyd ac yn gynnes ar y trên. Roeddwn i'n hoffi sŵn y trên yn hymian fel nodau dwfn gitâr.

PONTGWILI
GARD
PONTGWILI
Mali

Roeddwn i'n hoffi edrych allan drwy'r ffenest hefyd. Weithiau, roedden ni'n mynd heibio i bentrefi ac yn gweld goleuadau'r tai a'r strydoedd fel llusernau mawr yn y nos. Meddyliais y byddwn i'n hoffi aros ar y trên am yr wythnos gyfan.

Ond dywedodd y ddynes oedd yn cadw llygad arna i ei bod hi'n credu mai Pontgwili oedd yr orsaf nesaf. Roedd hi'n iawn. Oherwydd, yr eiliad honno, daeth y gard ata i a dweud, 'Dyma eich stop, madam.' Roeddwn i'n hoffi'r ffordd y gwnaeth e fy ngalw i'n madam. Cododd fy mag i mi hefyd, a'm helpu i agor drysau trwm y trên.

Gorsaf fach iawn oedd Pontgwili, a fi oedd yr unig un oedd yn mynd oddi ar y trên. Fe basiodd y gard y bag i mi. Edrychais o gwmpas. Meddyliais yn sydyn, *Beth wna i os na fydd Tad-cu yma? Beth os bydda i ar fy mhen fy hun yng nghanol 'nunlle?*

Ond roedd Tad-cu yno. Rhedodd hen ddyn oedd yn edrych yn ddigon tebyg i drempyn i lawr y platfform. Roedd ganddo wallt gwyn, anniben a barf wen, wyllt, ac roedd e'n gweiddi, 'Mali! Mali!' Yr eiliad nesaf, cododd fi oddi ar fy nhraed, a 'nhroi i rownd a rownd.

Wel! Dyna oedd y syrpreis cyntaf. Roedd Dad yn iawn. Doedd Tad-cu ddim yn simsan o gwbl. Doedd yr ail syrpreis ddim cystal. Doedd Tad-cu ddim yn ogleuo'n neis iawn! Roeddwn i'n falch pan wnaeth e fy rhoi i lawr!

Y trydydd syrpreis oedd y tandem. Roedd Tad-cu wedi'i adael y tu allan i'r orsaf yn y maes parcio gwag. Hen beth bregus oedd y tandem gyda basged fawr ar ei flaen. Rhoddodd Tad-cu fy mag i, a Ted Hanner Dall, yn y fasged.

'Dyma Lwlw,' meddai Tad-cu. Estynnodd ei

law i ganmol y beic, fel pe bai'n gi. 'Mae e bron mor hen â fi, ond bydd e'n iawn am ychydig eto.'

Efallai bod Tad-cu braidd yn ddwl, meddyliais, yn rhoi enw ar ei feic. Efallai bod y ffaith ei fod e'n treulio cymaint o amser ar ei ben ei hun yn gwneud iddo fynd yn ddw-lal.

'Dw i'n meddwl bod angen i ni gael ymarfer bach ar Lwlw,' meddai Tad-cu.

Roedd y tandem yn eithaf tal. Roedd yn rhaid i Tad-cu fy nghodi er mwyn fy rhoi i eistedd ar y sedd gefn. Yna aeth e ar y rhan flaen. Roedd gan y ddau ohonon ni bâr o garnau llywio a phedalau. Roedd y tandem fel dau feic yn sownd at ei gilydd.

'Y tric yw cadw mewn amser wrth i ti bedlo,' meddai Tad-cu wrth i ni gychwyn ar ein taith. 'Pedal chwith! Pedal de!

LWLW
TRENAU
Mali

Pedal chwith! Pedal de! Dyna ni! Rwyt ti wedi'i deall hi!'

Aethon ni rownd a rownd y maes parcio tua deg o weithiau. Roedden ni'n sigledig iawn ar y dechrau, ond ar ôl ymarfer ychydig dechreuais i fwynhau. Roedd e'n fy atgoffa i o ddawns roedd Emma a minnau wneud ei gwneud y tymor diwethaf pan roedd yn rhaid i ni wneud yn siŵr ein bod ni'n cicio'r un coesau ar yr un pryd.

'Iawn,' meddai Tad-cu ar ôl i ni fynd rownd y maes parcio unwaith eto. 'Nawr fe gaiff Lwlw fynd â ni adre.'

Pennod 3

Cacen a Sôs Coch

Aethon ni'n araf bach, igam ogam, ar hyd y ffordd yn ôl i fwthyn Tad-cu. Doedd dim gêrs ar y tandem. Roedd yna frêc, ond dw i ddim yn meddwl ei fod e'n gweithio'n dda iawn. Bob tro roedd Tad-cu eisiau stopio, roedd e'n gweiddi, 'Woooow!' ac yn rhoi ei ddwy droed ar y llawr.

Roedd yn rhaid i ni stopio'n eithaf aml. 'Er mwyn cael mwy o anadl,' meddai Tad-cu. Pan fyddai Tad-cu wedi cael ei anadl yn ôl, byddai e'n canu.

'Mynd drot drot ar y beic i ddau,
Mynd drot drot adreee . . .'

Fe wnes i ymuno erbyn y diwedd, oherwydd roedden ni'n mynd i lawr lôn dywyll, anwastad, ac roedd canu'n fy helpu i deimlo'n llai ofnus. Y cyfan roeddwn i'n gallu ei weld oedd coed. Coed a chysgodion. Cysgodion arswydus lle gallai unrhyw beth neu unrhyw un guddio. Cydiais yn dynn, dynn, dynn yn fy ngharnau llywio a gwneud yn siŵr fy mod yn pedlo yr un pryd â Tad-cu. Lawr, lawr, lawr y lôn yr aethon ni, ac roedd popeth yn y fasged flaen yn ysgwyd i gyd. Roedd Ted Hanner Dall yn syllu'n syn arna i. Roedd e'n edrych fel pe bai e mewn sioc.

'Dyma ni!' meddai Tad-cu o'r diwedd. 'Does unman yn debyg i gartref.'

Dyma beth yw canol 'nunlle, meddyliais. Doedd dim caeau mwdlyd – o leiaf, dim hyd

y gwelwn i. Dim ond coed. Roedd bwthyn Tad-cu fel be bai e yng nghanol coedwig. Gwnaeth hynny i mi feddwl am Hansel a Gretel. A gwrachod.

Agorodd Tad-cu ddrws y bwthyn. Fe ruthrodd dau gi mawr allan, yna un gath ddu, sgleiniog ac yna iâr! Ai rhyw fath o sw bach oedd hwn?

'Ddylet ti ddim bod fan hyn,' meddai Tad-cu wrth yr iâr, a'i hel hi allan o'r tŷ. Cerddodd yr iâr i ffwrdd, fel petai Tad-cu wedi brifo'i theimladau.

'Dyma Lop a Bop,' meddai Tad-cu wrth i'r cŵn neidio o'n cwmpas ni. Roedden nhw'n ysgwyd eu cynffonnau ac yn llyfu wyneb Tad-cu. 'A dyma Sali fach,' meddai Tad-cu. Plygodd i lawr i anwesu'r gath ddu, bert a oedd yn rhwbio'i hun yn erbyn ei goesau.

Y tu mewn i'r bwthyn, roedd popeth yn edrych yr un mor hen â Tad-cu ei hunan. Ac roedd llwch ymhobman! Mae Mam yn casáu llwch. Byddai hi'n ffonio'r heddlu petai'n gweld yr holl lwch yma nawr ar hen seld Tad-cu ac ar ei biano ac ar freichiau ei gadair siglo.

Roedden ni yng nghegin Tad-cu. Cegin a lolfa yn un oedd hi. Roedd hen soffa gyffyrddus yn y gornel, a suddodd Lop a Bop iddi. Fe gyrliodd Sali fach yn belen mewn hen fasged siopa.

'Dyma ni 'te,' meddai Tad-cu. 'Wyt ti eisiau rhywbeth i'w fwyta?'

Roedd hi'n teimlo fel oes ers i mi fwyta fy mrechdanau, felly dywedais, 'Ydw plîs, Tad-cu.'

Fe ddefnyddiodd Tad-cu lewys ei got i sychu rhywbeth afiach, gludiog oddi ar y bwrdd. Yna aeth i nôl cacen o'r cwpwrdd, a photel o sôs coch.

'Dywedodd rhywun wrtha i fod plant yn bwyta sôs coch gyda phopeth,' meddai Tad-cu, 'felly dw i wedi cael hwn yn arbennig i ti.'

'Diolch yn fawr, Tad-cu,' dywedais. Roeddwn i mor gwrtais â phosib. 'Ond dw i ddim yn meddwl y cymera i sôs gyda'r gacen.'

Roedd Tad-cu'n edrych yn siomedig. Fe wnaeth e gwpaned o de i ni'n dau, ac eisteddon ni wrth fwrdd y gegin yn bwyta'r gacen. Doedden ni ddim yn gwybod beth i'w ddweud wrth ein gilydd. Tu mewn i'r bwthyn, ac wrth i mi eistedd yn agos ato, roedd Tad-cu hyd yn oed yn fwy drewllyd. Doedd dim ots gan Lop a Bop. Daethon nhw i eistedd dan y bwrdd, a dal y briwsion yr oedden ni'n eu colli.

'Beth wnawn ni nesa 'te?' holodd Tad-cu. Roedd y ddau ohonon ni wedi bwyta dwy dafell o gacen, ac roedd Lop a Bop wedi mynd yn ôl ar y soffa.

Roeddwn eisoes wedi sylwi bod dim teledu gyda Tad-cu. Ac oherwydd ei bod hi'n hwyr, a dim byd arall i'w wneud yng nghanol 'nunlle, dywedais, 'Wel, pan mae hi mor hwyr â hyn, mae Mam yn dweud wrtha i am fynd i ymolchi, a mynd i'r gwely. A glanhau fy nannedd.'

'O ie,' meddai Tad-cu. 'Ymolchi, glanhau dannedd a gwely. Roeddwn i wedi anghofio am hynny. Mae blynyddoedd wedi mynd ers i dy dad fod yn fachgen bach. A dy fam-gu oedd yn gofalu amdano ran amlaf.'

'Mae'n flin gen i am Mam-gu,' dywedais.

Roedd Tad-cu'n edrych yn drist. 'Bu hi farw flynyddoedd yn ôl, ond dw i'n dal i'w cholli hi.'

'Mae Mam a Dad yn dweud eich bod chi'n hoffi byw ar eich pen eich hun.'

'Ar y dechrau, ar ôl i dy fam-gu farw, doeddwn i ddim eisiau gweld neb,' meddai Tad-cu. 'Ond dw i'n unig iawn yma nawr. Dw i wedi bod yn meddwl . . .' Estynnodd Tad-cu ei fraich ar draws y bwrdd, a chydio yn fy llaw. 'A fyddet ti'n hoffi cael mam-gu newydd?'

'Mam-gu newydd?'

'Ie,' meddai Tad-cu. 'Roeddwn i'n meddwl y gallet ti fy helpu i ddod o hyd i un.'

'Dod o hyd i mam-gu!' dywedais, yn syn. O diar! *Nid dim ond dw-lal yw Tad-cu,* meddyliais. *Mae e'n mega dw-lal. Dw i yng nghanol 'nunlle gyda thad-cu sy'n wallgof.*

'Mae gen i gynllun,' meddai Tad-cu. 'Fe

ddyweda i wrthot ti yn y bore. Mae'n hen bryd i ti fynd i'r gwely erbyn hyn, tydy?'

'Ydy,' dywedais.

Aeth Tad-cu i fyny'r grisiau llychlyd a minnau'n ei ddilyn. Doedd fy ystafell wely ddim yn edrych mor frwnt â'r gegin, ac roedd cwilt clytwaith llachar ar fy ngwely. Fe dynnais i Ted Hanner Dall allan o fy mag, a'i osod ar y gobennydd.

'Dy fam-gu wnaeth y cwilt yma,' meddai Tad-cu. 'Mae pob darn ohono'n adrodd stori.'

'Fel tudalennau llyfr,' dywedais.

'Ie, mewn ffordd,' meddai Tad-cu. Pwyntiodd at un o'r darnau cotwm oedd â phatrwm o flodau bach glas arno. 'Dyna ddarn o ffrog oedd dy hen fam-gu'n ei gwisgo pan oedd hi'n ferch fach. Ac mae hwn,' meddai wrth bwyntio at ddarn â sgwariau melyn arno, 'yn ddarn o byjamas dy dad pan oedd e'n bum mlwydd oed!'

Roedd Tad-cu fel petai wedi anghofio am yr ymolchi a'r glanhau dannedd, ac felly, am unwaith, meddyliais y byddwn innau'n anghofio amdanyn nhw hefyd.

Gorweddais a chwtsho o dan y cwilt clytwaith gyda Ted Hanner Dall yn agos ata i. Roedd y cwilt yn glyd ac yn gyfeillgar, gyda'r holl atgofion wedi'u gwnïo ynddo.

Pan aeth Tad-cu i lawr y grisiau, fe dynnais i fy ffôn symudol allan o'r bag. Roeddwn wedi dweud wrth Mam a Dad y byddwn i'n eu tecstio nhw i ddweud fy mod wedi cyrraedd yn ddiogel. Meddyliais y byddai'n well i mi ddweud wrth Mam am y llwch hefyd. Efallai y byddai hi'n poeni digon i ddod i fynd â mi adref ar unwaith. Ond doedd dim signal gen i. Doedd fy ffôn symudol ddim yn gweithio.

'Does dim byd arall i'w ddisgwyl,' dywedais wrth Ted Hanner Dall, 'yng nghanol 'nunlle.'

Yna, fe ddiffoddais y golau a gorwedd yn y tywyllwch. Fe fues i'n gwrando ar y coed yn sibrwd yn dawel. Clywais Tad-cu yn cadw sŵn i lawr grisiau. Yn sydyn, disgynnodd rhywbeth bach, tywyll ar fy ngwely, a rhoi ofn mawr i mi. Ond dim ond Sali fach oedd yno. Fe gyrliodd i fyny wrth fy nhraed, ac roeddwn i mor falch o'i chael hi yno.

Cymerodd amser hir i mi fynd i gysgu. Roedd y coed fel petaen nhw'n sibrwd cyfrinachau, ac roeddwn i'n meddwl am gynllun Tad-cu i ddod o hyd i fam-gu newydd. Oedd e'n mynd i herwgipio un?

Bydd Mam a Dad yn flin iawn pan fydda i'n cael fy ngharcharu am herwgipio mam-gu, meddyliais. Ac yna, fe gwympais i gysgu.

Pennod 4

Ieir a Gobaith

Pan ddeffrais i, roedd hi'n dawel iawn, iawn. Tawelwch y wlad. Dim siw na miw yn unman. Tawelwch canol 'nunlle. Roedd Sali fach wedi diflannu. Doedd dim sôn am Lop na Bop, a doedd dim sôn am Tad-cu chwaith. Efallai ei fod e yn y goedwig yn ceisio dal mam-gu neu ddwy neu dair. Meddyliais am fy ystafell wely gartref a'r holl synau cyfarwydd rydw i'n gallu eu clywed yn y boreau – bysiau a cheir a phobol yn siarad ar y stryd.

'Mae hyd yn oed y coed wedi rhoi'r gorau i siarad,' dywedais wrth Ted Hanner Dall. Cydiais yn dynn ynddo, a chropian i lawr y grisiau yn fy mhyjamas. Roedd pelydrau'r haul yn llenwi'r gegin, ond doedd dim sôn am Tad-cu. Roedd y drws ffrynt led y pen ar agor. Fe welais i'r hyn doeddwn i ddim wedi'i weld y noson cynt. Dim caeau mwdlyd, ond roedd y gofod rhwng y coed yn llawn o fwsogl gwyrdd a dail llachar. A dyna lle'r oedd Tad-cu gyda haid o ieir o'i gwmpas. Roedd yna o leiaf chwech ohonyn nhw, ac roedden nhw i gyd yn clwcian ac yn clegar yn uchel. Roedd Lop, Bop a Sali yn gorwedd ar y glaswellt yn gwylio.

'Helô!' meddai Tad-cu. 'Mae'r ieir yn barod am eu brecwast. Hoffet ti eu bwydo nhw?'

Felly fe wisgais fy esgidiau glaw dros fy mhyjamas, a mynd allan. Roedd gan yr ieir

blu brown euraidd, hyfryd a llygaid siarp, disglair. Roedd ganddyn nhw eu cwt bach eu hunain. Rhoddodd Tad-cu lond dwrn o hadau i mi, ac fe wnes i eu gwasgaru nhw ar hyd y llawr. Roedd hi'n neis gweld yr ieir yn cadw stŵr o gwmpas fy nhraed, yn pigo a phigo. Fe gofiais am y ddynes ar y trên yn dweud y bydden i efallai'n gwneud ffrindiau newydd yng nghanol 'nunlle. Efallai y gallai Lop, Bop, Sali a'r ieir gyfrif fel ffrindiau, hyd yn oed os nad oedden nhw'n siarad ac yn siarad ac yn siarad fel roedd Emma'n ei wneud.

'Mae'n siŵr dy fod ti eisiau brecwast hefyd,' meddai Tad-cu. 'Hoffet ti ddarn arall o gacen?'

'Dw i ddim yn meddwl bod gormod o gacen yn gwneud lles i mi,' dywedais. Roeddwn i'n dechrau meddwl bod angen help ar Tad-cu i'w ddysgu sut i ofalu am blant.

'Ddim yn gwneud lles i ti?' meddai Tad-cu. Gwenodd, gan wneud i mi feddwl am Dad yn dweud, 'Jôc! Jôc!' 'Wel, beth am wy ffres o'r ieir a thafell fach o fara?'

Felly, dyna beth gawson ni. Aeth Lop a Bop yn ôl o dan y bwrdd, a chyrliodd Sali fach yn ei basged.

'Nawr 'te,' meddai Tad-cu, wrth iddo sychu wy oddi ar ei farf gyda hances fudr iawn, 'ynglŷn â fy nghynllun.'

'O, y cynllun yna,' dywedais. Gwnes lais diflas. 'Y cynllun "dod o hyd i fam-gu". Dw i ddim yn meddwl y cewch chi lawer o lwc ffordd yma.'

'Nid jest *unrhyw* fam-gu,' meddai Tad-cu, ac fe saethodd ei aeliau i fyny i'w wallt anniben, gwyn. 'Mae gen i un mewn golwg. Dw i'n meddwl fy mod i wedi syrthio mewn cariad gyda hi.'

'Mewn cariad?' dywedais. Dydy fy aeliau i ddim yn saethu i fyny fel rhai Tad-cu, ond roeddwn i'n teimlo fel petaen nhw wedi gwneud. 'Yn eich oedran chi?'

Hyd y gwn i, dim ond pobol ifanc sy'n gallu syrthio mewn cariad. Mae chwaer Emma, Branwen, yn 16. Mae Emma'n dweud ei bod hi'n syrthio mewn cariad o hyd ac o hyd. Mae'n rhaid ymarfer syrthio mewn cariad, yn ôl Emma, ac mae'n rhaid i Branwen ymarfer oherwydd ei bod hi'n chwilio am Yr Un.

'Pam na alla i syrthio mewn cariad os dw i eisiau?' holodd Tad-cu. Roedd e'n swnio fel petai e wedi llyncu mul.

Doeddwn i ddim yn gwybod sut i ymateb. Dw i'n cofio Mam yn dweud wrtha i unwaith bod rhai hen bobol yn cael ail blentyndod. Efallai bod Tad-cu'n un o'r rhai hynny. Roedd e yn ei *ail lencyndod*, beth bynnag.

'Pwy yw hi 'te?' holais.

Cyffrôdd Tad-cu drwyddo i gyd. 'Alys yw ei henw hi,' meddai. 'Ac mae'n gweithio yn siop y pentref . . .'

'Siop? Mae siop a phentref yma?' Fy nhro i oedd hi i fod yn gyffrous nawr. Roedd siop, unrhyw fath o siop, yn golygu nad oedden ni cweit yng nghanol 'nunlle.

'Wrth gwrs bod yma bentref a siop,' meddai Tad-cu. 'Ac mae fy hyfryd Alys yn gweithio yno.'

'Nid eich Alys chi yw hi eto,' dywedais.

'Na,' meddai Tad-cu'n drist. 'Dyna'r broblem. Dyna lle'r wyt ti'n dod i'r adwy.'

'Fi?'

'Ie,' meddai Tad-cu. 'Dyw Alys ddim hyd yn oed yn gwenu arna i. Ond mae hi'n hoffi plant. Os doi di i mewn i'r siop gyda mi, yna efallai y gwnaiff hi wenu ar y ddau ohonon ni. Ac ar ôl hynny, galla i ofyn iddi fy mhriodi i, a dyna ni! Bydd mam-gu newydd gen ti! Nawr, dyna gynllun da, yntê?'

Roeddwn i'n meddwl bod rhywbeth ar goll yng nghynllun Tad-cu. Ond roeddwn i'n fwy na bodlon mynd i siop y pentref gyda fe i weld yr hyfryd Alys. Roedd yna bosibilrwydd, gydag ychydig bach o lwc, y byddai ganddi gardiau post y gallwn i eu prynu a'u hanfon at Mam, Dad ac Emma. Gan obeithio bod yna flwch postio yng nghanol 'nunlle hefyd.

'Iawn,' dywedais. 'Pryd allwn ni fynd?'

'Nawr?' meddai Tad-cu.

Pennod 5

Winwns Drewllyd a Swigod Bath

Roedd siop y pentref o leiaf bum milltir i ffwrdd. Pum milltir o seiclo i fyny'r rhiw ar Lwlw. Roedd y ddau ohonon ni'n brin ein hanadl erbyn i ni gyrraedd yno ac yn boeth iawn. Tybed a oedd fy ngwyneb i mor goch ag un Tad-cu, a oedd yn goch iawn. A chwyslyd.

Dyma'r math o siop yr oeddwn i'n ei hoffi. Roedd hi'n fach ac yn gwerthu pob math o bethau mae pobol eu hangen, fel bara a llaeth a llysiau a bisgedi. Ond roedd yno lyfrau, teganau a chardiau post hefyd. A silff ac arni arwydd yn dweud *Popeth fan yma o dan 20c.* Canodd y gloch wrth i ni agor drws y siop, ac aethon ni i mewn. Roedd Tad-cu mor sionc a gobeithiol â Lop a Bop pan oedden nhw'n meddwl y bydden nhw'n cael briwsion oddi ar ein bwrdd brecwast ni.

Roedd yr hyfryd Alys tu ôl i'r cownter – dynes gron, fach, glân a chymen iawn, a'i gwallt wedi'i gyrlio ar ei phen fel hufen iâ mewn côn.

'Bore da, Miss Alys,' meddai Tad-cu dros bob man. 'Dw i wedi dod â fy wyres, Mali, i gwrdd â chi.'

'Bore da, Mr Owen,' meddai'r hyfryd Alys, heb wenu o gwbwl. Roedd arogl Tad-cu yn waeth byth ar ôl reidio'r beic. Roedd yr hyfryd Alys yn ceisio peidio â dal ei thrwyn, dw i'n credu.

Ond rhoddodd wên fawr i mi. 'Ydy e wedi dy orfodi di i reidio'r hen feic yna?' holodd. A dim ond fi gafodd y wên.

'Gei di gymryd unrhyw beth oddi ar y silff 20c,' meddai wedyn. 'Anrheg, gan dy fod yn newydd yma.'

Rhoddodd Tad-cu bwt i fi. 'Diolch,' dywedais. 'A dw i eisiau prynu cardiau post.'

'Cer di i ddewis, cariad,' meddai'r hyfryd Alys. Roedd hi'n dal i wenu arnaf.

Ces i lyfr sgrifennu gyda band elastig o'i gwmpas ar y silff 20c. Roeddwn i'n dal i edrych ar y cardiau post pan glywais i Tad-cu yn tynnu'i restr siopa allan. Yna roeddwn i'n gwybod pam nad oedd cynllun Tad-cu yn gweithio.

'Hoffwn i gael bara, bagaid o datws a lot o gariad a swsys,' meddai Tad-cu.

‘Wir, Mr Owen,’ meddai’r hyfryd Alys, ‘Dw i ddim yn meddwl bod hynny’n ddoniol o gwbwl.’

‘Dyw e ddim i fod yn ddoniol!’ meddai Tad-cu.

Ond erbyn hynny, roedd yr hyfryd Alys wedi rhoi’r bara a’r tatws yn y bag. ‘Plîs, peidiwch â siarad fel yna gyda mi eto,’ meddai.

Roeddwn i’n meddwl bod Tad-cu’n mynd i lefain. Roedd dagrau’n cronni yn ei lygaid glas. Roedd e’n sefyll yno, yn anniben ei wisg, ac yn edrych yn drist yn ei drowsus â phengliniau llac. Roedd staen wy ar ei grys ac roedd ei wallt yn edrych fel pe bai heb weld crib ers chwe mis.

Ac yna edrychais ar yr hyfryd Alys, yn gymen a thaclus y tu ôl i’r cownter, ac roeddwn i'n teimlo trueni dros Tad-cu, a oedd mor unig yn byw yng nghanol 'nunlle.

Felly pan es ati i dalu'r hyfryd Alys am y cardiau post, dywedais, 'Fy nhad-cu i yw'r tad-cu gorau yn y byd i gyd.' Daeth y geiriau allan fel yna, heb i mi feddwl dim am y peth.

Edrychodd yr hyfryd Alys yn syn, rhoi'r arian yn y til, a dweud, 'Dw i'n siŵr dy fod yn iawn, cariad.'

'Dewch mlaen, Tad-cu,' dywedais. 'Gadewch i ni fynd adref.'

Roedd Tad-cu yn pedlo'n araf iawn. Wnaeth e ddim canu 'Mynd drot drot'. Roedd hyd yn oed Lwlw'n gwichian fel pe bai'n drist wrth i ni fynd tuag adref. Roeddwn i'n flin gyda'r hyfryd Alys. Hyd yn oed os oedd Tad-cu'n drewi ychydig, faint o bobol rydych chi'n cwrdd â nhw sy'n holi am fara, bagaid o datws a lot o gariad a swsys? Doedd yr hyfryd Alys ddim yn gwybod pa mor lwcus oedd hi!

A doedd dim angen y tatws arno hyd yn oed! Roedd Tad-cu'n tyfu ei datws ei hun. Roedd e'n tyfu cennin hefyd. A winwns. A letys a moron a sbrowts. Roedd y tatws yn drwm yn y fasged, ond erbyn i ni gyrraedd y bwthyn, roeddwn i'n teimlo'n well. Roeddwn i wedi meddwl am gynllun.

Daeth Lop a Bop aton ni, yn neidio a thasgu a chyfarth, ac roedd hyd yn oed yr ieir fel pe baen nhw'n chwerthin.

'Tad-cu,' dywedais, ar ôl i Lop, Bop, Sali fach a'r chwe iâr gael eu swper, a ninnau gael ein bwyd ni, 'wnaeth eich cynllun chi ddim gweithio mewn gwirionedd, naddo?'

'Naddo,' meddai Tad-cu'n drist.

'Wel, efallai y gallwn ni roi cynnig ar fy nghynllun i, 'te,' dywedais.

Edrychai Tad-cu yn fwy gobeithiol wedyn. Rhoddodd bowlenaid arall o gawl i mi. Cawl tatws a chennin o'i ardd ei hun, ac roedd e'n flasus iawn yn wir.

'I ddechrau, mae'n rhaid i ni dacluso tipyn bach arnoch chi,' dywedais. 'Pryd oedd y tro diwethaf i chi edrych arnoch eich hun mewn drych?'

'Gad i mi feddwl,' meddai Tad-cu. '1985, efallai!'

Aethon ni i fyny i ystafell wely Tad-cu ac agor y cwpwrdd dillad. Roedd drych y tu mewn i'r drws. Sychais y llwch i ffwrdd ac edrychodd Tad-cu arno'i hun, a dweud, 'O diar! O diar! O diar!'

Shampŵ
Sebon
SWIGOD
BATH
Oglau
Da

Cymerodd ddiwrnod cyfan i ni dacluso Tad-cu.

Ar ôl i ni fwydo'r ieir, fe godon ni'r winwns o'r ardd. Helpais i Tad-cu i'w clymu nhw gyda'i gilydd, a'u hongian ar wal y gegin. Roedd y winwns yn frown euraidd, fel yr ieir. Dw i'n meddwl bod y ddau ohonon ni'n drewi ychydig ar ôl hynny. Felly fe wnes i ofyn i Tad-cu a allwn i gael bath.

'Bath?' meddai Tad-cu, fel petai wedi anghofio bod y ffasiwn beth â bath i'w gael ganddo.

'Ie,' dywedais. 'Ac os cewch chi un hefyd, fe gewch chi ychydig o fy swigod bath i'w rhoi yn y dŵr.'

Roedd Tad-cu'n gyffrous iawn wrth feddwl am gael bath mewn swigod. Pan oedd e'n cael ei fath e, roeddwn i'n gallu ei glywed e'n sblasho ac yn canu,

Fuoch chi 'rioed yn morio?
Wel, do, mewn padell ffrio . . .

Ar ôl i Tad-cu gael ei fath, fe wnes i dorri ei wallt iddo fe. Roedd e'n dal i edrych ychydig bach yn wyllt, ond roedd e'n lân erbyn hyn a heb fod mor hir. Ac fe wnes i dorri'i farf hefyd fel eich bod yn gallu gweld mwy o'i wyneb. Ac fe wnes i bori trwy ei gwpwrdd dillad a ffeindio lot o grysau a throwsusau glân. Roedden nhw i gyd yn hen, wrth gwrs, ond roedden nhw'n lân.

'Fory,' dywedais, 'awn ni'n ôl i weld yr erchyll Alys . . .'

'Yr *hyfryd* Alys,' meddai Tad-cu.

'Iawn, yr hyfryd Alys. Ac fe gewch chi fynd â blodau iddi. Yna gallwch chi ei gwahodd hi draw i de. A wnewch chi ddim sôn gair am gariad a swsys.'

'Wna i ddim sôn gair am gariad a swsys,' addawodd Tad-cu.

'Ac fe wnawn ni'n dau wenu,' dywedais.

'Fe wnawn ni'n dau wenu,' cytunodd Tad-cu. 'Wyt ti'n meddwl y bydd hynny'n gweithio?'

Pennod 6

Codi Calon Tad-cu

Fe adroddodd Tad-cu ragor o straeon am y cwilt clytwaith y noson honno. Roedd un darn o sidan gwyn arno, gyda blodau wedi'u gwnïo i mewn iddo.

'Darn o ffrog briodas dy fam yw hwn,' meddai Tad-cu.

Fe gyrliodd Sali fach yn belen ar fy ngwely eto. Wrth i mi syrthio i gysgu, meddyliais am yr hyfryd Alys.

Tybed a allai hi wneud cwiltiau clytwaith, meddyliais. Wna i ofyn iddi falle.

Yn y bore, fe aethon ni am dro ar Lwlw eto. Y tro hwn, roedd Tad-cu'n edrych yn daclus ac yn lân. Roedd e wedi torri tusw o flodau menyn a rhosynnau o'i ardd er mwyn eu rhoi i'r hyfryd Alys.

Edrychodd yr hyfryd Alys yn syn pan roddodd Tad-cu'r blodau iddi. Roedden nhw wedi mynd ychydig bach yn llipa erbyn i ni gyrraedd y siop, ond fe osododd Alys nhw mewn jwg o ddŵr yn syth bìn.

Yna fe wnaeth Tad-cu foesymgrymu a dweud, 'Miss Alys, byddai fy wyres Mali a minnau'n falch iawn os byddech chi'n derbyn ein gwahoddiad i de. Plîs.'

Edrychodd yr hyfryd Alys ar Tad-cu o'i ben i'w gorun a sniffian unwaith neu ddwy. Yna, fe wnaeth hi wrido. Cyffyrddodd â'i gwallt côn hufen iâ a dweud, 'Byddai hynny'n neis iawn, Mr Owen. Mae'r siop ar gau brynhawn dydd Iau. Gaf i ddod bryd hynny?'

A dywedodd Tad-cu, 'Byddai hynny'n hyfryd, Miss Hyfryd. Ymm, Miss Alys.'

Yna dechreuodd y ddau ohonyn nhw chwerthin. *Ail lencyndod,* meddyliais.

Roedd llawer o waith gyda ni i'w wneud cyn dydd Iau. Es i ati i ddwstio'r tŷ. Fe wnaeth Tad-cu olchi'r lloriau. Buon ni hyd yn oed yn brwsio Lop a Bop nes bod eu cotiau'n sgleinio. Fe wnaeth Tad-cu gacen

arall, fel yr un a wnaeth e i mi. 'Dim ond cacen siocled dw i'n gallu ei gwneud,' meddai.

'Bydd cacen siocled yn grêt,' dywedais.

Ac am dri o'r gloch, daeth yr hyfryd Miss Alys, bwmp-di-bwmp i lawr y lôn yn ei Mini glas.

Fe wnaeth hi ddotio ar Bop a Lop a Sali fach yn syth. Ac ar ôl ychydig, fe wnaeth hi ddotio ar Tad-cu hefyd. Bwytodd y gacen siocled hyfryd!

Wrth i ni fwyta'r gacen, gofynnais iddi a oedd hi'n gallu gwneud cwiltiau clytwaith.

'Dw i ddim yn dda iawn am wnïo,' meddai. 'Ond dw i'n gallu canu'r piano.'

Felly, cododd Tad-cu glawr y piano. Eisteddodd yr hyfryd Miss Alys a chwarae 'Mynd drot drot' ac fe ganodd Tad-cu. Roedd hi'n amlwg bod y ddau'n cael llawer o hwyl.

Roeddwn i'n teimlo'n eithaf trist bod yn rhaid i mi fynd adref y diwrnod wedyn, achos roeddwn i'n dechrau meddwl y byddai Miss Alys yn gwneud Mam-gu newydd neis iawn.

Mam

Aeth Tad-cu â mi i'r orsaf yn y bore a rhoi cwtsh mawr i mi.

'Dw i'n meddwl bod dy gynllun wedi gweithio!' meddai. 'Fe wna i roi gwybod i ti.'

* * *

'Wel,' meddai Mam, ar ôl i mi gyrraedd adref, 'wnaeth Tad-cu ofalu amdanat ti?'

'Dw i'n meddwl mai fi wnaeth ofalu am Tad-cu,' dywedais.

Doedd Mam ddim yn fy nghredu.

Ond roeddwn i'n gwybod fy mod i'n iawn, achos tua blwyddyn yn ddiweddarach cawson ni lythyr oddi wrth Tad-cu. Roedd e'n dweud ei fod e'n mynd i briodi eto, ac yn holi a fydden ni'n hoffi mynd i'r briodas?

‘Beth! Priodas yng nghanol ’nunlle?’ meddai Mam.

‘Na,’ dywedais. ‘Priodas yng nghanol rhosynnau, blodau menyn a ieir.’

A dyna’n union sut briodas oedd hi.

Mae'n ddiwrnod y gêm fawr rhwng Ysgol Cwmbwrla ac Ysgol Bronaber. Mae Al druan yn gorfod chwarae yn safle'r gôl-geidwad ac mae popeth yn y fantol. Dwy i ddim yw'r sgôr ac mae'r chwarae'n ffyrnig. Tybed a fydd Al yn llwyddo i achub y dydd?

ISBN 978 1 84323 993 2 £4.99

Beth petaech chi'n perthyn i rywun enwog? Sut deimlad fyddai hynny? Wel, mae Bela, modryb Catrin, yn seren y byd ffilmiau. Mae pawb yn ei haddoli. Pawb ond Catrin! Mae'r syniad o dreulio diwrnod yn ei chwmni fel hunllef i Catrin. Ond mae Bashir – cath Modryb Bela yn achub y dydd.

ISBN 978 1 84323 980 2 £4.99